Ogma Books

Runas do Destino

Capa
Ogma Books

Projeto Gráfico / Diagramação
Ogma Books / D.K.Matos

Ilustração Deus Nórdico Odin
Fernando Issamo

Revisão Técnica
Cecília Toledo F. Leite

Imagem da capa: fotografia de autor desconhecido, de pedra rúnica localizada em Sorunda, Södermanland, Suécia. A inscrição diz: "Björn e Vibjörn e Ramne e Kattibjörn elevaram essa pedra em memória de Gerbjörn, seu pai" (imagem disponibilizada para no banco de imagens do Google para uso livre).

Demais imagens das pedras rúnicas que constam dessa obra: fotografias de autores desconhecidos. Para saber origem e significados das gravações, consulte a Nota da Editora no final do livro.

OGMA BOOKS
Rua dos Gerânios, 60, Vargem Grande Paulista-SP, CEP 06730-000
www.ogmabooks.com.br / sab@ogmabooks.com.br

Runas do Destino

Raphaela e Túlio Sanches

Ogma Books

Dados Internacionais de Catalogação na Publicação (CIP)
(Câmara Brasileira do Livro)

Sanches, Raphaela e Túlio
Runas do Destino; ilustração Fernando Issamo. 2ª edição - São Paulo: Ogma Books, 2020.

Bibliografia
ISBN 978-85-93697-12-8

1. Artes Divinatórias 2. Magia 3. Runas

CDD 133.2424

Índices para catálogo sistemático:

1. Artes Divinatórias 133.2424
2. Religião germânica: Magia 293.13
3. Runas 133.3

Aos deuses antigos, que nos instruem diariamente em sua infinita sabedoria.

Aos nossos familiares que sempre nos apoiaram em nossas decisões e que estão conosco em todos os momentos – alegres e, principalmente, de dificuldades.

Aos amigos e irmãos de caminhada que nos incentivaram e incentivam em nossos trabalhos junto à espiritualidade ancestral e para que essa obra se tornasse realidade.

Índice

Introdução

Do ponto de vista histórico, as Runas eram um sistema fonético e gráfico usado até o século XIV na Suécia, até o século XVII na Islândia e até o século XIX em regiões remotas da Noruega.

Esse alfabeto, chamado Futhark, nome formado pelas primeiras letras rúnicas, é composto por vinte e quatro letras, cujos vestígios mais antigos, que são inscrições gravadas em pedras, datam do século II d.C

Dizem as lendas nórdicas que o grande deus Odin realizou um auto sacrifício, dependurando-se numa árvore de cabeça para baixo durante nove dias e noites, ofertando um olho, e assim, ao final desse período, recebeu o conhecimento das Runas.

Segundo Mirella Faur, as Runas consistem numa "metalinguagem", isto é, num sistema simbólico complexo que permite a transmissão de outros significados, consequentemente, não são somente um alfabeto, podendo ser aplicadas na magia através de amuletos e selos mágicos. Além disso, cada símbolo rúnico encerra significados importantes, que num passado não tão distante, revelavam o futuro, passando a serem usados como método divinatório.

São esses vinte e quatro signos, além Runa do Destino ou Senhora do Destino, cujos usos oraculares ensinaremos, para que os leitores possam conhecer o futuro, precavendo-se ou até mesmo mudando seu rumo, obtendo assim desfechos positivos em todas as áreas da vida.

Quando desejar aconselhamento através das Runas, que são, na verdade, as vozes dos deuses, realize o Ritual para Leitura que consta do final, pedindo aos deuses respectivos as respostas necessárias, e sempre agradeça no final.

Fehu

Letra: F

Significado divinatório: Fehu é a Runa dos bens móveis, especialmente dinheiro. Indica ganhos materiais, bons negócios com lucros significativos, ótimas oportunidades de trabalho e financeira. Se você está com dívidas, essa Runa mostra que haverá dinheiro extra que o ajudará a resolver essas pendências.

Se está procurando emprego, seja por estar desempregado ou por querer mudar de trabalho, essa Runa é positiva e abre seus caminhos para novas opções.

Entretanto, Fehu alerta que ao fazer bons negócios obtendo ganhos, tome cuidado para não se exceder e gastar tudo ou até mais do que receber.

No amor, mostra que há grandes chances de você conquistar a pessoa amada.

Invertida: Período de restrições, perdas financeiras e/ou de trabalho, mau negócio, roubo. Também pode demonstrar avareza e ambição desmedida, alguém que coloca o dinheiro acima de tudo, o que trará muitos reveses no futuro, principalmente tristeza, abandono, solidão.

No amor, mostra envolvimento interessante, mas passageiro. Não se iluda com palavras vazias.

Uruz

Letra: U

Siginificado divinatório: Indica boa saúde, avanço em seus objetivos e projetos, crescimento constante. Se está atravessando um período difícil, Uruz mostra que você conseguirá resolver os problemas por seus próprios méritos, basta acreditar em si mesmo e ir à luta. Contudo, se não lutar, nada mudará. Seja independente em todos os sentidos, não tenha medo de progredir e brilhar. Se está com problemas de saúde, em breve estará curado.

No amor, há a necessidade de renovação, caso contrário, a relação perecerá. Pode indicar, ainda, um novo relacionamento.

Invertida: Mostra omissão, passividade extrema, falta de atitude e iniciativa, que poderá pôr os planos e bens a perder. Também pode denotar fraqueza e doença por perda de energia vital ou por direcionar mal as energias.

No amor, aponta provável rompimento, pois ambos conduziram a relação ao desgaste extremo. Não culpe o outro, nem a si mesmo, apenas procure aprender com os erros.

THurisaz

Letra: Th

Significado divinatório: Essa é a Runa da proteção e defesa contra todo o tipo de mal, inclusive contra obstáculos que podem se materializar em seu caminho nesse momento.

Normalmente, indica um perigo iminente, mas ao mesmo tempo, oferece a energia de Thor como escudo, pois representa o Martelo Mjölnir que pelas mãos desse deus combate e vence todo o mal.

Thurisaz fala, ainda, sobre encarar seus piores medos, que se não surgiram, estão para surgir ou aflorar em seu caminho na forma de uma situação concreta.

É preciso enfrentá-los de uma vez e superá-los, e Thurisaz lhe dará a força e a sabedoria necessárias para que você obtenha a vitória, desde que faça sua parte.

Por fim, essa Runa denota recomeço positivo e promissor após a destruição que prenuncia.

No amor, Thurisaz aconselha reflexão sobre as coisas boas e não tão boas do relacionamento, para melhorar a relação. Tudo ficará bem se houver amor.

Invertida: Alerta para perigo, armadilha, emboscada, traição cujo alvo pode ser você ou alguém que lhe é caro. Proteja-se e aos seus magicamente, e seja muito cauteloso.

No amor, mostra que as brigas e discussões são frutos de energias negativas externas. Procurem se proteger magicamente contra essas forças que querem separá-los.

Ansuz

Letra: A

Significado divinatório: Ansuz é a Runa dos sons, palavras, poesia, expressão corporal, regendo todas as formas de comunicação eficaz. Portanto, diz que nesse momento, sua expressão criativa está favorecida e você será ouvido e respeitado em seu meio.

Ainda, segundo Edred Thorsson, é uma das Runas mais místicas e poderosas, pois está ligada e representa as forças mágicas e aos encantamentos ou *galdr,* indicando que você tem poderes mágicos ou espirituais e precisa aprender a usá-los para seu bem e para o bem maior das pessoas à sua volta.

Por fim, Ansuz favorece os estudos em geral, a busca e a obtenção do conhecimento, a sabedoria. Aproveite!

No amor, Ansuz diz que você conhecerá pessoas inteligentes e místicas de forma inesperada, que poderão ensinar-lhe muito sobre Magia.

Invertida: Mostra alguém mentiroso, desleal, hipócrita, manipulador em seu caminho que poderá lhe trazer decepção. Cuide de suas novas ideias para não perdê-las.

No amor, evite atitudes precipitadas e reflita muito bem antes de falar, pois depois que certas coisas são ditas, não há como voltar atrás.

Raidho

Letra: R

Siginificado divinatório: Raidho mostra mudanças positivas, novidades boas à caminho. Você está no rumo certo para atingir sua meta, mas não basta pôr o carro na estrada, é preciso dar-lhe direção, manter seu ritmo, isto é, precisa perseverar para vencer.

Como Raidho traz atividades intensas, você não conseguirá ficar parado e poderá se empolgar com outros projetos, porém é preciso manter o foco, caso contrário, começará tudo e não terminará nada. As viagens estão favorecidas, tanto as externas quanto as internas para autoconhecimento e harmonização interior.

No amor, prevê fase de mudanças positivas que harmonizarão o casal. Ter mais liberdade e espaço será importante para ambos nesse momento.

Invertida: Raidho mostra inflexibilidade, resistência às mudanças, gerando tensão e estresse por certo período. Mas isso mudará e em breve, tudo entrará nos eixos. Evite viagens, mesmo que curtas, pois trarão aborrecimentos.

No amor, prevê crises, apego, rigidez, dependência e falta de boa vontade para resolver impasses.

Kenaz

Letra: C, K, Q

Significado divinatório: Kenaz é a tocha que representa o fogo da criatividade e da inspiração divinas. Consequentemente, favorece as criações artísticas e os ofícios da Magia, bem como a criatividade em geral, dizendo que esse é um ótimo período para pôr suas ideias em prática e lutar para que aconteçam.

Além disso, aflora a sensualidade, a sedução, a autoestima, o cuidado com o corpo, o prazer, a libido e o amor carnal. Kenaz, traz a cura através da conscientização para medos, traumas e preconceitos de ordem sexual.

No amor, aponta o surgimento de uma nova paixão, despertando a autoestima e a sensualidade, proporcionando uma visão muito positiva e agradável de você.

Invertida: Na vida ou no amor, Kenaz prevê um sacrifício. Nesse momento, você precisa abrir mão de algo que lhe é muito importante, causando-lhe sofrimento. Pode ser uma pessoa, um relacionamento, um projeto. Compreenda que Kenaz traz o renascimento que só pode ocorrer através da morte. Essa perda será transitória (você recuperará ou conquistará algo melhor em seguida) se sair com Runas positivas, ou definitiva e dolorosa se estiver com as Runas Naudhiz, Isa ou Othala.

Gebo

Letra: G

Significado divinatório: Gebo rege as trocas profícuas e positivas; aquele que doa com boa vontade e desapego, receberá em breve o que deu de bom grado multiplicado – esse é o segredo da abundância e da prosperidade infinitas.

Gebo fala que haverá generosidade em seu caminho, pessoas boas que o ajudarão sem segundas intenções, portanto, não hesite em pedir ajuda e acreditar na boa fé e na honestidade.

Sendo a Runa da harmonia e equilíbrio, se estiver passando por uma situação difícil, saiba que a partir de agora, tudo começará a se resolver e se reequilibrar.

Quando aparece, essa Runa indica união harmoniosa entre as pessoas: familiar, entre o casal, em torno de algum trabalho ou causa, etc. Gebo representa um presente que se traduz na bênção do amor verdadeiro entre todos os seres, dádiva essa que você está recebendo em sua vida agora.

Em troca, Gebo orienta que você sinta gratidão por esse presente e procure manter essa energia de troca doando algo em favor de alguém: pode ser desde um objeto, até vibrações de gratidão, amor, carinho, amizade, consideração, seu tempo para ouvir o outro, um conselho, etc.

Na área profissional, mostra uma parceria positiva na qual todas as partes (geralmente duas, mas pode ser mais pessoas) trabalham em perfeita harmonia e concordância para o bem comum, alcançando seus objetivos com êxito.

No amor, essa Runa mostra união na qual existe amor verdadeiro, e também indica compromisso sério, duradouro, repleto de felicidade.

Wunjo

Letra: V, W

Significado divinatório: Wunjo aponta perspectivas positivas no trabalho, com brilho, sucesso e realização pessoal. Esse é o momento de celebrar uma conquista profissional com todos os seus reflexos positivos: reconhecimento social, satisfação pessoal, fama e ganhos materiais.

Você é um profissional extremamente competente e merece crescer na sua área cada vez mais, porque está exercendo seu dom, sua vocação profissional e faz seu trabalho com amor, dedicação e seriedade.

No amor, mostra que os obstáculos foram superados e Wunjo anuncia uma fase tranquila e feliz no relacionamento. Se está sozinho, essa será uma época muito positiva para encontrar alguém especial.

Invertida: Período conturbado no trabalho. Você está desmotivado pela falta de reconhecimento, há insatisfação, mas nada mudará, pois é você quem precisa mudar de emprego e talvez até mesmo de atividade. Enquanto não consegue, procure não se estressar.

Pode alertar, ainda, sobre roubo de suas ideias e projetos. Previna-se. Mostra inimizades e falta de prosperidade.

No amor, indica insatisfação, desentendimentos. Aparentemente, o outro não era o que você esperava, ou ele o fez pensar que era diferente, gerando decepção. Tudo o que você não deve fazer é manter-se num relacionamento que lhe traz infelicidade.

Se está sozinho, reequilibre-se primeiro, volte sua energia e atenção para o seu trabalho e para os objetivos profissionais. Quando atingir suas metas, terá tempo e energia para ocupar-se com o emocional.

Hagalaz

Letra: H

Significado divinatório: Hagalaz é a nona Runa. O nove era sagrado para os vikings. Nove eram os mundos sustentados por Yggdrasill e que formavam todo o Cosmos nórdico; nove foram as noites que Odin ficou dependurado em sacrifício, para obter o conhecimento das Runas.

A pictografia de Hagalaz pode ser vista como duas colunas com uma viga entre elas conectando-as e ao mesmo tempo, mantendo cada uma em seu devido lugar. Essa Runa é um espelho, o que está de um lado é igual ao que está do outro de forma inversa – luz e sombra, quente e frio, pedindo equilíbrio e harmonia de sua parte para resolver a questão.

Hagalaz anuncia, ainda, uma ruptura, normalmente interna, de paradigmas, padrões de pensamento, crenças, conceitos enraizados, etc, que destruirá suas limitações para que você cresça e conquiste novas qualidades que ajudarão a solucionar a questão, pois todos os potenciais estão em Hagalaz. Esse processo não será fácil, porém é necessário.

Por fim, observe que a resposta não está em sair de um extremo e ir para o outro, nem em eliminar o lado oposto, pois qualquer uma dessas atitudes gerará outro problema muito mais complexo. A solução é encontrar o meio termo, o ponto de equilíbrio, rompendo limitações. Ademais, se você acha que o obstáculo é insuperável, saiba que você também é! Portanto, não desista.

No amor, Hagalaz pede que você se equilibre interna e individualmente antes de tentar se equilibrar com o outro. Indica, ainda, uma provável ruptura no relacionamento, a qual poderá não ser definitiva, todavia, da forma como está esse relacionamento não poderá continuar.

Naudhiz

Letra: N

Significado divinatório: Naudhiz fala de uma necessidade que vem à tona ou que surge em seu caminho, gerando um obstáculo, um desafio, obrigando-o a trabalhar para supri-la.

Essa Runa mostra a força motriz que faz as pessoas saírem de sua posição confortável, conhecida e segura para se lançarem no desconhecido, automaticamente gerando incertezas, insegurança, dor, sofrimento.

Entretanto, se não fosse assim, você não desenvolveria novas habilidades, pois estava acomodado, e, por conseguinte, não cresceria, não evoluiria, ficaria estagnado, permitindo que o tédio, a inércia, a falta de interesse na vida e no mundo tomassem conta.

Esse não é um período fácil, e vem acompanhado de perdas, escassez, restrições de toda ordem: saúde, energia, amigos, dinheiro, até mesmo do mínimo necessário.

Entretanto, sentir pena de si mesmo somente agravará o quadro, assim como não reagir e não lutar. A mensagem de Naudhiz é: quem não aprende pelo amor, aprenderá pela dor. Por fim, pode denotar compulsões e vícios.

No amor, prevê o rompimento da relação pela perda da boa condição material, pois não existe amor verdadeiro.

Isa

Letra: I, Y

Significado divinatório: Isa é o gelo primordial, a terra de Niflheim. Essa Runa anuncia paralisação, estagnação, causando sensação de fracasso e impotência ante a devastação e destruição que se instalam em sua vida neste momento.

Isa é a morte, física ou psicológica, representada pela perda do que nos é mais precioso como o trabalho de uma vida inteira, alguém que se ama, a saúde, pois pode indicar dentre outros eventos, doença grave que deixa a pessoa incapacitada para o trabalho.

Se por um lado Isa indica uma parada obrigatória, que muitas vezes pode refletir sobre muitas áreas de sua vida, causando-lhe desespero e angústia, por outro, pode ajudar no sentido de que talvez você esteja empreendendo esforço hercúleo em suas atividades, o que está lhe prejudicando muito, embora você não queira ou acredite que não possa descansar agora.

Nesse caso, Isa o obriga a parar e aprender a esperar. Aproveite para refazer-se, pois essa Runa também representa luto. Esteja certo que por mais difícil que esse período seja, chegará ao fim e você se recuperará saindo fortalecido, além de aprender inúmeras lições.

No amor, Isa aponta desilusão e decepção profundas, seguidas de abandono e solidão. O outro se foi e deixou os escombros atrás de si, pois ao longo do tempo, minou sua autoestima, sua autoimagem positiva, causando-lhe profunda depressão. Procure ajuda profissional imediatamente para se recuperar.

Jera

Letra: J, Y

Significado divinatório: Jera representa o ciclo das estações, do plantio até as colheitas. Traz abundância, prosperidade, fartura, recompensa pelo trabalho árduo e dedicação, todavia, após todo um ciclo de trabalho, isto é, não imediatamente.

Você confiou em seu potencial, acreditou no seu projeto, trabalhou pelo resultado positivo e alcançará os louros de todo o seu empenho, que se traduzem em ganhos financeiros, reconhecimento, alegria, realização pessoal, sensação de superação, vitória, sucesso.

Se perguntou sobre algum assunto jurídico – contrato, herança, pagamento de dívida, processos judiciais em geral, Jera, que é a personificação da Justiça, indica que você terá êxito em sua demanda, recebendo no tempo certo o que lhe cabe, todavia, é preciso esperar.

Jera também indica fertilidade, e para as mulheres, gravidez. Favorece a criatividade, além de proporcionar esperança, justiça, alento, alegria, paz.

No amor, Jera o aconselha a investir no relacionamento, tomar a iniciativa ao invés de esperar que o outro dê o primeiro passo, embora o oriente a não criar expectativas. Se você gosta, apenas deixe fluir.

Eihwaz

Letra: Ei

Significado divinatório: Essa Runa é o teixo e sua pictografia representa a Yggdrasill, ou a Árvore dos Mundos Nórdica. Apesar de na Mitologia Nórdica Yggdrasil ser um freixo, há diversos estudiosos que afirmam que tratava-se, na verdade, de um teixo.

Eihwaz fala de estrutura, sustentação e reestruturação. Nesse momento, diz que você está desestruturado, e consequentemente, não tem clareza mental para decidir. Precisa parar para se organizar em relação à questão apresentada, reavaliando as bases sobre as quais fundamentou toda a sua vida, todos os seus passos, suas escolhas, os caminhos que percorreu até aqui.

É preciso verificar o que ainda é verdadeiro para você, crenças, conceitos, valores, pessoas, situações que "servem", eliminando o que não é mais útil ou necessário. Só então poderá prosseguir com segurança, decidindo acertadamente.

Eihwaz pede um período de interiorização e meditação para se reconectar com sua essência, obtendo também a força de vontade necessária para se desligar daquilo que impede sua evolução, seu crescimento. Trata-se da reorganização em torno da sua estrutura central – quem você é, no que acredita e por qual objetivo luta.

Ao mesmo tempo, essa Runa traz bênçãos divinas, energias de força e discernimento que o ajudarão e iluminarão nesse árduo processo.

No amor, controle sua ansiedade e não sufoque o outro, caso contrário, porá o relacionamento a perder.

Perthro

Letra: P

Significado divinatório: Perthro é a Runa dos amigos verdadeiros e sinceros. Se perguntou sobre alguém, saiba que é boa pessoa e lhe quer bem. Também indica alegria, alguma situação positiva que o deixará muito feliz. Aproveite para descontrair e celebrar.

Essa Runa fala, ainda, sobre a revelação de algum segredo que ocasionará mudanças significativas em sua vida, em geral, para melhor.

Perthro traz muita sorte. Diz que a sua boa estrela brilha, proporcionando-lhe recompensas, novidades boas, amor, regozijo, satisfação, otimismo, anunciando uma fase positiva para você e tudo o que desejar realizar.

No amor, essa Runa mostra o reencontro com uma antiga paixão. Cabe a você decidir se deve ou não envolver-se novamente.

Invertida: Alguém que você julga ser seu amigo não é, e está tramando contra você. Fique atento e proteja-se.

Perthro invertida anuncia período de infortúnios. Pode haver a revelação de um segredo que muito o prejudicará ou na melhor das hipóteses, entristecerá.

Cuidado com dinheiro fácil, pois trata-se de uma armadilha e você se arrependerá caso aceite.

No amor, indica traição e/ou mentiras que virão à tona gerando decepção, problemas, prejuízos, rompimentos, infelicidade.

Algiz

Letra: Z

Significado divinatório: Quando essa Runa aparece, indica, primeiramente, que você está sendo protegido por forças divinas contra todo o mal.

Num segundo momento, diz que você está recebendo inspiração espiritual diretamente da divindade, ampliando a visão do espírito para que consiga enxergar e avaliar a questão apresentada sob todos os ângulos. Você perceberá que existem aspectos que você não tinha visto, nem compreendido até esse momento, e que são importantes para a boa resolução da pendência.

Algiz representa a intervenção dos deuses em sua vida, abençoando-o, protegendo-o, tomando a frente e guiando-o na direção certa, para o bem maior de todos os envolvidos. Apenas sinta, deixe fluir e confie.

No amor, mostra amor recíproco, confiança e lealdade mútuos, relacionamento harmônico, duradouro e feliz.

Invertida: Apesar das forças maléficas que o rodeiam, Algiz traz proteção, anulando-as. Porém, cabe a você reforçar essa proteção espiritual rapidamente, caso contrário, será atingido e seus protetores não poderão fazer muito por você, se você mesmo não fizer sua parte.

No amor, mostra envolvimento extraconjugal e alerta que essa situação não acabará bem, motivo pelo qual deverá ser resolvida o quanto antes. Independentemente, aquele que trai responderá pelos seus atos; atitudes indignas desencadeiam eventos negativos no caminho.

Sowilo

Letra: S

Significado divinatório: Essa é uma das Runas mais positivas de todas. Representa o Sol, que com seus raios luminosos dissipa as nuvens cinzentas da preocupação, bane toda a escuridão, aquece e promove a vida, o despertar, a alegria.

Quando Sowilo aparece, mostra que não importa o quão grande seja o seu problema, em breve estará resolvido e com muito êxito. Na verdade, Sowilo é um milagre e faz coisas mágicas acontecerem. O que quer que tenha perguntado, Sowilo mostra que obterá sucesso.

Além disso, indica ótima saúde, magnetismo pessoal, sucesso, brilho, realização pessoal, carisma, beleza, enfim, traz todas as bênçãos e atributos do Sol na qualidade de crescimento, expansão e iluminação.

Aproveite as energias positivas de Sowilo para se cuidar, embelezar-se, aumentar sua autoestima, pois essa Runa aflora a sensualidade, o brilho pessoal, otimismo, vontade de viver, dinamismo, extroversão, alegria. Comunique-se, interaja, expanda seus contatos, desfrute dos momentos felizes e especiais que essa Runa anuncia.

No amor, mostra que você encontrará sua alma gêmea em breve, se ainda não encontrou, e vivenciará um relacionamento repleto de amor verdadeiro, isto é, o amor em todas as suas facetas – paixão, cumplicidade, companheirismo, confiança, fidelidade, admiração e respeito mútuos, além de ser uma relação duradoura e muito feliz.

Tiwaz

Letra: T

Significado divinatório: Tiwaz é a Runa do "Guerreiro Espiritual", trazendo força e coragem para que você enfrente e vença suas batalhas, desde que tenha direito e lute com hombridade.

Mostra sucesso em competições e disputas, competitividade nos negócios e na vida, o que é bom, desde que não seja exagerado, levando-o a tomar qualquer atitude para vencer.

Lembre-se: quando alguém está lucrando desmesuradamente, outros estão arcando com o prejuízo, e esse desequilíbrio o arrastará à derrota. Aja com honestidade, seja justo e bom, e será amplamente recompensado, alcançando vitória em suas demandas, sucesso e reconhecimento social.

No amor, fala que o relacionamento exigirá muito de você, mas tem tudo para dar certo.

Invertida: Controle sua necessidade de vencer sempre, pois poderá tomar atitudes menos dignas, sacrificando valores cuja ausência o conduzirá à derrota, à vergonha e ao fracasso.

Também pode denotar alguém agressivo, irascível, vingativo, cruel, tirânico em seu caminho. Proteja-se e afaste-se.

No amor, mostra que seu parceiro pode se tornar agressivo, se já não está sendo, e que tende à crueldade. Se houver qualquer abuso, peça ajuda imediatamente e afaste-se.

Não seja ingênuo de acreditar que a pessoa mudará, pois não mudará, já que não tem, nem nunca teve essa predisposição.

Se não quiser colocar a si próprio e eventualmente os filhos em perigo, o caminho é a separação imediata.

Berkano

Letra: B

Significado divinatório: Essa Runa indica o surgimento de algo novo em sua vida: emprego, relacionamento, o nascimento de uma criança.

Marca um período de transformação e renascimento, e você ver-se-á feliz por um lado, mas perdido e inseguro por outro. Isso é normal, confie em seus instintos e na sua intuição, e lidará bem com a novidade.

Caso pergunte sobre uma novidade que já surgiu, Berkano o aconselha a se dedicar e nutrir esse novo projeto ou ser, pois exigirá bastante atenção e dedicação para crescer, progredir e prosperar.

No amor, mostra bom relacionamento entre o casal e em família, com amor e harmonia, bom entendimento e boa convivência entre pais e filhos.

Invertida: Qualquer início, especialmente de negócios nesse momento, trará resultados desastrosos. Também pode indicar novidades indesejadas e/ou más notícias que mudarão sua vida para pior.

No amor, traz desentendimentos e desarmonia entre o casal, refletindo na família. Procure ajuda espiritual e psicoterápica para restabelecer o equilíbrio individual e, posteriormente, nos relacionamentos em geral – do casal, de negócios e familiar.

Ehwaz

Letra: E

Significado divinatório: Ehwaz diz que para a solução da questão, faz-se necessária a cooperação de outras pessoas, pois você sozinho não conseguirá solucioná-la.

É preciso aprender a ser humilde e pedir e/ou aceitar ajuda, bem como, é preciso ser solícito e dispor-se a ajudar quando puder e quando lhe pedirem.

Ao se dispor a colaborar e a receber colaboração, todas as partes envolvidas são beneficiadas de inúmeras formas, não só em relação à questão, mas muito mais – são bênçãos que se multiplicam e se espalham.

Ademais, Ehwaz o aconselha a tomar uma atitude agora em relação ao problema e manter essa decisão até o fim, caso contrário, se agravará.

No amor, diz que se o casal se unir em prol de objetivos comuns, haverá ganhos familiares e pessoais também.

Invertida: Indica pessoa egoísta e arrogante que só pensa em si mesma e não se importa com os outros. Nunca tem tempo para ajudar, mesmo que nada lhe custe, e nunca pede ajuda, pois acredita que sabe tudo e não precisa de ninguém.

Se alguém assim estiver em sua vida, afaste-se. Se for você, procure evoluir ou ficará sozinho e será para sempre infeliz.

No amor, mostra discussões desnecessárias, egoísmo, desconfiança. Enquanto cada um agir por e para si, o relacionamento não crescerá e as questões pessoais e de trabalho de cada um retroagirão, projetos não se concretizarão, haverá perdas materiais, emocionais, de saúde. Ou os dois aprendem a torcer e a colaborar com o outro, ou ninguém sairá do lugar!

Mannaz

Letra: M

Significado divinatório: Mannaz é a Runa que representa o ser humano e a inteligência, o poder de raciocínio. É a consciência, a maturidade, quando conseguimos enxergar e admitir nossas fraquezas, déficits, imperfeições, erros, dispondo-nos sinceramente a trabalhar por nosso aprimoramento pessoal.

Mannaz também fala sobre assumirmos as responsabilidades pelos nossos atos, respondendo por eles. Portanto, o problema apresentado é consequência de atitudes e decisões do passado, a qual você deve assumir integralmente agora sem reclamar, com coragem e dignidade. Essa atitude positiva abreviará a demanda, tornando-o orgulhoso de si mesmo, mais leve e feliz.

No amor, indica um parceiro que o admira, respeita e o incentiva a crescer e evoluir. Faça o mesmo por ele de coração.

Invertida: Mostra irresponsabilidade, imaturidade, covardia, ocasionando danos e prejuízos aos outros. Todavia, a lei do retorno agirá em breve e não poderá reclamar.

No amor, mostra um relacionamento frustrante. Há cobranças excessivas, acusações de ambas as partes, mágoas e ressentimentos acumulados. Talvez seja melhor ficar só.

ᛚ

Laguz

Letra: L

Significado divinatório: Laguz representa as águas primevas de onde toda a vida surgiu, e, portanto, guarda todos os dons e potenciais em si. Para obtê-los, aflorá-los, você precisará deixar a intuição e a espiritualidade fluírem em e através de você na sua vida.

Qualquer qualidade que julgue necessária nesse momento para resolver a questão será sua se permitir que Laguz flua, aprendendo a ouvir sua intuição e as orientações do espírito que ela lhe traz através de sonhos, visões, intuições, etc.

No amor, deixe suas emoções fluírem, não tenha medo de amar e de se entregar a esse amor.

Invertida: Indica omissão, inércia, submissão diante dos obstáculos que a vida impõe, como se parar e se conformar fosse a solução. A vida apresenta desafios para nos fazer crescer. Você precisa enfrentá-los agora e superá-los. Pare de fugir e lute, caso contrário, se sentirá incapaz e fracassado para sempre.

No amor, representa experiências emocionais dolorosas do passado que foram reprimidas e estão aflorando para serem trabalhadas e curadas, pois têm influenciado sua vida amorosa negativamente. Cure-se antes de estabelecer um novo relacionamento.

Ingwaz

Letra: Ng

Significado divinatório: Enquanto Laguz representa os poderes femininos da água como intuição e fluidez, Ingwaz, ligada ao deus Ing da terra e da fertilização, representa os aspectos masculinos fogosos da terra como vontade inquebrantável para perseguir e conquistar objetivos, persistência, determinação, conforme sua pictografia: são duas Kenaz contendo o fogo.

Qualquer que seja a área da vida a que se refere a pergunta, Ingwaz mostra que se você deseja de coração obter esse bem ou superar determinado obstáculo, basta criar estratégias para alcançar seu objetivo, trabalhando, sendo perseverante, e nada poderá detê-lo.

Ingwaz indica, ainda, que tudo o que você plantar nesse momento frutificará, trazendo-lhe abundância, prosperidade, ganhos, lucros.

Por fim, essa Runa o aconselha a ser extrovertido, conversar e interagir mais com as pessoas, além de procurar celebrar a vida todos os dias, pois estar aqui e agora é uma dádiva, é um presente inestimável. Alegre-se!

No amor, fala de uma pessoa fogosa e forte, apaixonada pela vida que conquistará seu coração. Todavia, essa pessoa ama a liberdade e sua privacidade e talvez não esteja pronta para abrir mão disso para se prender em um relacionamento. Se esse for o caso, apenas respeite, e haverá uma chance de continuar com a pessoa amada.

Ingwaz aconselha, ainda, que se você ama alguém de verdade, lute para conquistá-lo, pois as conquistas amorosas estão favorecidas.

Por fim, alerta sobre gravidez.

Dagaz

Letra: D

Significado divinatório: Dagaz significa “dia”. É o chamado e o despertar espirituais, a compreensão de que existe uma realidade muito além do corpo físico e do mundo material.

Essa Runa o faz acordar para a existência do espírito e do divino, propiciando uma reconexão com sua fagulha divina, seu deus interior, e consequentemente, com a divindade fonte da Criação.

Você só conseguirá solucionar sua demanda através das forças espirituais, pois essa questão não tem origem material, embora reflita no mundo físico na forma de doenças, perdas materiais, caminhos fechados, desassossego.

É provável que exista um trabalho espiritual para destruir sua vida. Você deve desfazê-lo para se reequilibrar e retomar o que perdeu. As Runas Dagaz, Thurisaz e Algiz trabalhando juntas podem quebrar esse feitiço e libertá-lo, mas só se você acreditar. Medite com essas Runas, peça aos deuses nórdicos sua ajuda e suas bênçãos, tenha fé e o desafio será superado.

Outra mensagem de Dagaz é: ao invés de tentar remendar o que quebrou ou reconstruir o que foi danificado, destrua o resto ou abandone essa velha estrutura e comece do início, criando algo totalmente novo e diferente do anterior, e assim obterá imenso sucesso.

Entretanto, se tentar se apegar aos velhos hábitos, crenças, estruturas, estratégias, sistemas, estará fadado ao fracasso. A escolha é sua.

No amor, mostra uma relação totalmente diferente do que você está acostumado, que pode ser a renovação da que já existe ou uma nova, trazendo-lhe perspectivas inovadoras.

Othala

Letra: O

Significado divinatório: Othala representa a ancestralidade e, consequentemente, seus ancestrais ligados a você pelos laços de sangue e pelos laços espirituais, sendo esses últimos os mais significativos.

Seu espírito é antigo e traz informações, conhecimentos e potencialidades angariados ao longo de muitas vidas, que o tornaram quem você é hoje: um ser único com habilidades especiais.

Essa Runa o convida a homenagear suas origens, pedindo-lhe que se lembre e honre seus ancestrais, seja dessa vida ou de vidas passadas. Sinta-se grato por ser quem é e orgulhe-se para ter sucesso. A gratidão aos de ontem é fundamental para que sejamos abençoados hoje. Honrando suas raízes, ainda que sejam as espirituais; sendo grato aos ancestrais e aos deuses pelas dádivas recebidas ao longo da existência, a questão suscitada automaticamente começará a se resolver e em breve, você estará livre.

No amor, fala de uma ligação de vidas passadas, um reencontro de almas e corações.

Invertida: Orienta a romper costumes e padrões limitantes, pois estão lhe fazendo mal. Honre suas origens agradecendo pelo dom da vida, não importa quem são seus pais – bons ou não, ou mesmo se não os conhece, pois a ingratidão e a negação de suas raízes nessa existência estão lhe trazendo perdas, desamor, infelicidade. Seja grato e siga em frente, e verá que seus caminhos começarão a se abrir.

No amor, fala de um reencontro kármico para solucionar questões mal resolvidas do passado; sofrimento.

Wyrd

Letra: -

Significado divinatório: Wyrd significa algo como "destino". Para os nórdicos, os eventos principais de suas vidas estavam marcados desde o seu nascimento, e pouco se podia fazer para alterá-los. As Runas eram consultadas para que soubessem para onde a situação estava caminhando, de forma que pudessem se prevenir e criar estratégias mais eficazes no sentido de minimizarem o deslinde daquele evento.

Os deuses nórdicos poderiam intervir em favor dos mortais somente quando assim o desejavam e quando a divindade aquiescia aos seus pedidos, daí os sacrifícios para agradar e honrar os deuses.

A Runa Branca, também chamada de Wyrd, Runa do Destino ou para nós Senhora do Destino, não existia no Futhark antigo e foi incorporada modernamente com o significado de que nada há a ser feito, o consulente deveria aguardar os eventos anunciados e resignar-se.

Todavia, nas nossas práticas de Magia Nórdica, nós utilizamos essa Runa com no sentido de livre-arbítrio e tem se mostrado a Runa mais poderosa de todas, pois é como um presente dos deuses concedendo ao consulente o poder de mudar o rumo do seu destino a partir de agora.

Portanto, ao aparecer na leitura, mostra que as outras Runas somente se concretizarão se você assim o desejar. Caso lhe sejam desfavoráveis, mudando sua vibração e atitude, alterará o rumo dos acontecimentos, reescrevendo o desfecho final da questão. Wyrd lhe diz para tomar as rédeas de sua vida em suas mãos, decidir o que deseja, o que pretende conquistar, seguindo em frente sem receio e sem olhar para trás, certo de que a vitória é sua desde já. Chame Wyrd pelo nome e medite sobre seu significado de livre-arbítrio, para desencadeá-la em sua vida.

Métodos de Leitura

Existem muitos métodos de leitura de Runas. Ensinaremos alguns, mas é interessante que cada um crie seu próprio método, seguindo sua intuição.

O primeiro método é a escolha de uma única Runa. Concentre-se na pergunta, que deve ser o mais objetiva possível, respire fundo e pegue uma Runa, colocando-a sobre a toalha (veja sobre toalha ou lenço para leitura em "Consagração"), lendo seu significado e interpretando-a.

O segundo método é a escolha de três Runas, dispostas da direita para a esquerda, conforme esquema abaixo. A primeira é a situação atual - amplia a visão sobre o que ocorre; a segunda indica a ação necessária; a terceira mostra como ficará a questão no futuro.

3	2	1
futuro	*ação/orientação*	*situação atual*

Cruz Rúnica

Por esse método, o qual gostamos muito, a Runa 1 mostra o que houve no passado que gerou a situação atual; a 2 os aspectos ocultos da situação hoje; a 3 indica os obstáculos existentes no presente; a 4 energias favoráveis; a 5 diz como a questão ficará em breve se você conseguir superar os obstáculos através da ajuda apontada.

Costumamos executar essa leitura quando desejamos uma visão mais abrangente da questão, pois através da Cruz Rúnica poderemos conhecer a situação passada que gerou o dilema presente, conseguimos enxergar como está essa situação nesse momento de um ponto de vista mais neutro ao invés do nosso ponto de vista, que em geral é subjetivo e envolto em emoções, e podemos conhecer quais são os obstáculos existentes que devemos vencer para começarmos a solucionar a pendência. Obteremos, ainda, uma visão sobre o que pode nos ajudar, com quem ou com o que poderemos contar no momento, e por fim, saberemos como ficará a questão após caminharmos por todos os passos indicados pelas quatro Runas anteriores.

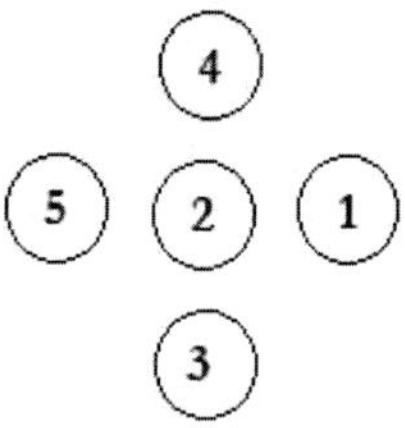

1-Passado que gerou a situação
2-Presente - como está agora
3-Obstáculos a serem superados
4-Energia positiva que ajudará
5-Futuro - como ficará se superar os obstáculos com a ajuda.

Leitura de Freyja e Freyr

Essa leitura refere-se a um casal, um relacionamento amoroso já estabelecido. Esse método não serve para avaliar relacionamentos de negócios, relacionamentos entre amigos e familiares. Para tanto, use os sistemas anteriores.

As Runas 1 e 2 mostram o que cada um busca no outro e espera/deseja da relação; a Runa 3 mostra o que favorece o casal no momento, qual seu ponto forte que pode ser usado para ajudar a resolver as diferenças; a Runa 4 diz qual é o principal ponto de divergência entre o par (se existir) e a Runa 5 indica como harmonizar e reequilibrar a relação.

Caso não existam pontos de divergência, a Runa 4 indicará como o casal pode melhorar, fortalecer a relação e até mesmo como poderá renovar o relacionamento, se entenderem necessário.

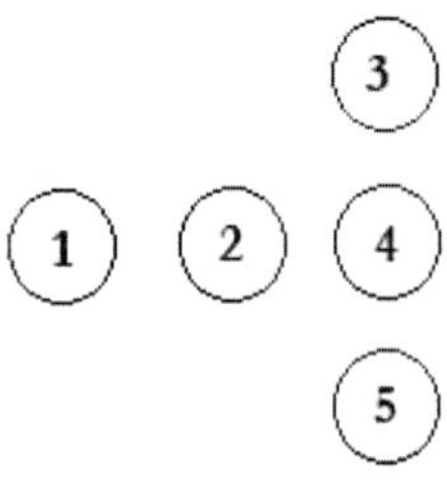

1-Eu (o que quero da relação)
2-O Outro (o que quer da relação)
3-O que favorece o casal
4-As diferenças que atrapalham
5-Aconselhamento

Consagração das Runas e Ritual para Leitura

Ao receber suas Runas do Destino, limpe-as com incenso de rosas brancas, bem como o saquinho.

As Runas devem ser lidas sobre um lenço ou toalha de sua preferência, com cerca de 20x20cm, a ser usada somente para as consultas com essas Runas. Lave sua toalha/lenço e passe num chá de rosas brancas ou água com lavanda para prepará-la/o.

Existe um singelo ritual que sempre executamos antes de cada leitura. Prepare o local onde fará a interpretação das Runas limpando o cômodo com incenso. Estenda o lenço sobre a mesa previamente limpa (e as cadeiras também) com um pano úmido e um pouco de chá ou perfume de lavanda/alfazema (adquira nas casas de Umbanda).

Em volta do lenço, disponha de um lado uma vela azul (intuição e proteção); do lado oposto à vela, uma taça com água limpa (favorece a conexão com o mundo espiritual); do outro lado um incenso de rosas brancas (mantém o ambiente equilibrado); do lado oposto ao incenso, um cristal de quartzo branco (conhecimento), que deve ficar próximo a você (o cristal pode ficar de lado para não atrapalhá-lo durante a leitura).

Esses quatro itens representam os quatro elementos e formarão uma cruz em torno do lenço/toalha.

Após ter preparado seu espaço para leitura, lave as mãos e passe um pouco de perfume de lavanda, para que estejam purificadas. Sente-se tranquilamente diante da mesa e faça uma prece pedindo a proteção por parte de seus guias e/ou protetores espirituais.

Peça a Odin que lhe conceda a iluminação e a sabedoria das Runas, para que possa compreender as mensagens das Nornas, além de pedir que neutralize a intervenção negativa de Loki; a Freyr e Freyja que respondam se o assunto for emocional; aos deuses Heimdal e Mordgud que respondam quando for questão material; e aos deuses Tyr e Ziza que orientem sobre os assuntos de ordem mental e espiritual.

Retire as Runas do saquinho e esfregue-as entre suas mãos para energizá-las. Quando entender que estão prontas, guarde-as novamente e inicie a interpretação.

Ao final de cada leitura, não se esqueça de agradecer aos deuses nórdicos pelas mensagens e orientações. Limpe as Runas, o lenço e tudo o que usou com incenso, guardando-os juntos para a próxima consulta.

Conforme explicado na Runa Wyrd, nem sempre se pode mudar as previsões mostradas pelas Runas, porém, algumas poderão ser alteradas se você mudar suas atitudes, e na verdade, é para isso que servem os oráculos: para nos mostrar fatos e informações desconhecidas, e também para indicar qual o melhor caminho a seguir para solucionar pendências.

Quanto às previsões que dificilmente poderão ser alteradas, tratam-se de reações desencadeadas por suas ações do passado e deverá arcar com estas responsabilidades. Todavia, ao tomar ciência disso, você poderá adotar atitudes positivas a partir de agora para minimizar os efeitos nocivos, fazendo o bem a todos os seres e consequentemente, atraindo o bem para si mesmo.

Esperamos que os Sigilos Mágicos Islandeses anexos, extraídos de manuscritos islandeses antigos, lhe sejam úteis. Use um por vez, junto ao corpo preso à roupa ou preso em um pingente, sempre observando as instruções.

Algumas obras foram usadas como apoio: "Mistérios Nórdicos" de Mirella Faur; "O Oráculo Sagrado das Runas" de Edred Thorsson; e obras sobre a "Icelandic Magic", embora praticamente todo esse livro tenha sido embasado em décadas de estudos, experiência e vivência nas práticas da Magia Nórdica, Magia Islandesa e Ocultismo.

Desejamos que as Runas do Destino o ajudem a escrever belas histórias e feitos memoráveis nas páginas da sua vida!

Sigilos Mágicos Islandeses

Anexa a essa obra, você recebeu uma cartela com seis Sigilos da *Icelandic Magic* ou Magia Islandesa, com suas respectivas funções mágicas descritas, extraídos de manuscritos islandeses antigos. Sugerimos que tire cópia para poder usá-los sempre que precisar, pois são muito eficientes.

Use apenas um Sigilo Mágico por vez, recortando-o e prendendo-o dentro da roupa, usando-o em um colar colado ou embrulhado em torno de um pingente de cristal, plastificando-o e pondo na bolsa, bolso, porta-luvas do carro, carteira, mesa de trabalho, etc.

Para prepará-lo para uso, enquanto o recorta fale em voz alta a proteção nele descrita. Quando sentir que precisa trocá-lo, queime-o e substitua-o pelo novo, refazendo este singelo ritual de verbalizar a função do sigilo. Isso o ativará para que surta seus efeitos mágicos.

Esperamos que esses Sigilos Mágicos Islandeses lhe sejam bastante úteis. Não utilize os sigilos buscando finalidades diversas daquelas descritas, pois são muito específicos e se tentar usá-los de forma equivocada, distorcerá as energias por ele atraídas, desencadeando eventos nefastos em sua vida. Usando-os corretamente, obterá muitos benefícios.

Para finalizar esse trabalho, informamos que algumas obras foram usadas como apoio: "Mistérios Nórdicos" de Mirella Faur; "O Oráculo Sagrado das Runas" de Edred Thorsson; e obras sobre a "Icelandic Magic", embora praticamente todo este livro tenha sido embasado em décadas de estudos, experiência e vivência nas práticas da Magia Nórdica, Magia Islandesa, Ocultismo e Bruxaria.

Quanto mais você trabalhar com as Runas do Destino, perceberá que mais sua intuição aflorará, e as mensagens serão cada vez mais claras, além de se tornarem mais completas ante as intuições que receberá sobre as questões consultadas.

Desejamos que as Runas do Destino o ajudem a escrever belas histórias e feitos memoráveis nas páginas da sua vida agora e sempre!

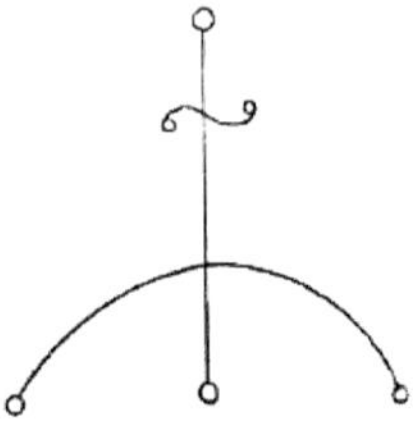

Para fazer bons negócios, isto é, comprar barato e vender por bom preço.

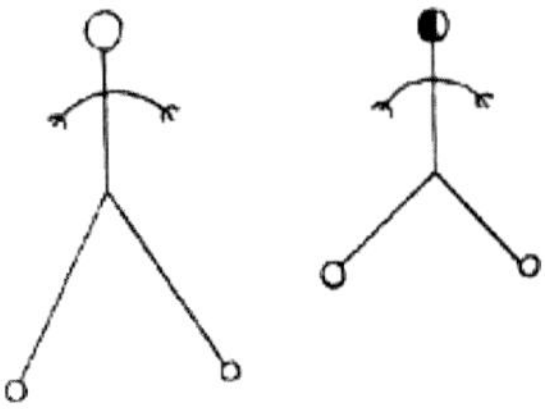

Mantenha esse sigilo sob o braço esquerdo quando for negociar e você obterá um ótimo negócio.

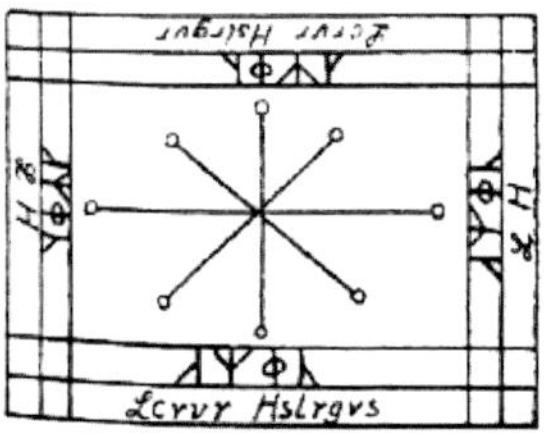

Proteção contra maus espíritos.

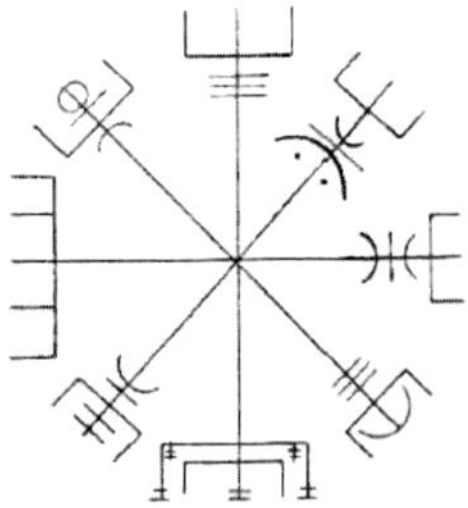

Quando estiver desorientado, sem saída, use-o para saber o que fazer.

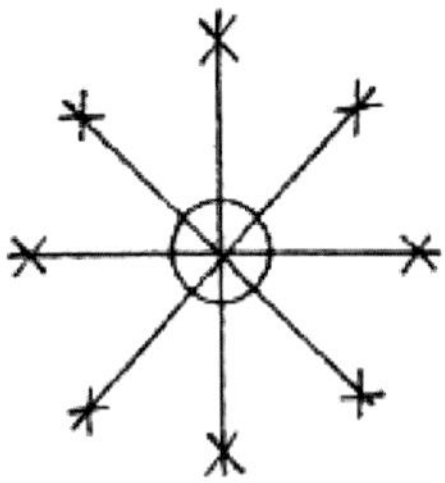

Para conseguir o que desejar. Escreva o desejo no verso e use-o como pingente até conseguir o que quer.

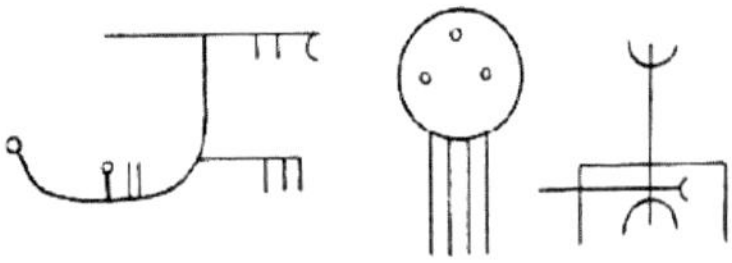

Contra insônia e pesadelos, mantenha sob o travesseiro. O ideal é fazer esse sigilo numa placa de prata.

Nota do Editor

Imagens das Aberturas dos Capítulos

Deus Nórdico Odin, de Fernando Issamo exclusivamente para a Ogma Books, 8

Pedra Rúnica localizada na Virgínia, EUA. Fotografia de autoria desconhecida, disponibilizada no banco de imagens do Google, uso livre, 10

Pedra Rúnica localizada na Virgínia, EUA. É um monumento criado modernamente, tomando como base as pedras rúnicas escandinavas, usando uma variante do Novo Futhark encontrado na Suécia e Dinamarca. As inscrições dizem: "Peder fez esta (pedra) para honrar seu amado filho Randahl Harold Pedersen. O espírito de uma águia, solícito, gentil e doce de coração." Fotografia de autoria desconhecida, disponibilizada no banco de imagens do Google, uso livre, 10

Pedra Rúnica localizada em Näsby, Odensala, Uppland, Suécia. A inscrição diz: "Ingefast ergueu essa pedra em memória de Torkel, seu pai, e em memória de Gunhild, sua mãe. Ambos se afogaram." Fotografia de autoria desconhecida, disponibilizada no banco de imagens do Google, uso livre, 12

Pedra Rúnica localizada em Svartsjö, Uppland, Suécia. As inscrições dizem: "Adils e Ösel e Olov ergueram essa pedra entalhada em memória de Vigisl, seu pai, o marido de Ärnfrid." Fotografia de autoria desconhecida, disponibilizada no banco de imagens do Google, uso livre, 38

Pedra Rúnica localizada na Suécia. Fotografia de autoria desconhecida, disponibilizada no banco de imagens do Google, uso livre, 41

Pedra Rúnica localizada na Suécia. Fotografia de autoria desconhecida, disponibilizada no banco de imagens do Google, uso livre, 44